Benjamin et la fée des dents

Catalogage avant publication de Bibliothèque et Archives Canada

Bourgeois, Paulette
[Franklin and the tooth fairy. French]
Benjamin et la fée des dents / Paulette Bourgeois ; illustrations de
Brenda Clark ; texte français de Christiane Duchesne.

Traduction de: Franklin and the tooth fairy.
Publ. à l'origine: c1995.
Pour les 4-7 ans.

ISBN 978-1-4431-1483-7

I. Clark, Brenda II. Duchesne, Christiane, 1949- III. Titre.
IV. Titre: Franklin and the tooth fairy. French.
PS8553.O85477F5814 2011   jC813'.54   C2011-903290-2

Benjamin est une marque déposée de Kids Can Press Ltd.

Édition publiée par les Éditions Scholastic, 604, rue King Ouest, Toronto (Ontario) M5V 1E1,
avec la permission de Kids Can Press Ltd.

5 4 3 2 1   Imprimé en Chine CP130   11 12 13 14 15

Benjamin et la fée des dents

Texte de Paulette Bourgeois
Illustrations de Brenda Clark

Texte français de Christiane Duchesne

Éditions
SCHOLASTIC

Benjamin sait compter par deux et nouer ses lacets. Il a beaucoup d'amis, et un meilleur ami nommé Martin. Martin et Benjamin ont le même âge. Ils vivent dans le même quartier. Ils aiment les mêmes jeux. Mais un matin, Benjamin s'aperçoit que Martin et lui sont un peu différents.

En attendant l'autobus scolaire, Martin met les doigts dans sa bouche et fait bouger une de ses dents d'avant en arrière. Il la secoue, il la remue et, avec un petit coup, la dent tombe.

— Regardez-moi ça! dit Martin. Je viens de perdre ma première dent.

Benjamin est intrigué. Il y a même un peu de sang sur la dent.

— C'est terrible! dit-il. Qu'est-ce que tu vas dire à ta mère?

Martin éclate de rire.

— Mes dents doivent tomber, dit Martin, pour
faire de la place à mes dents d'adulte.

Benjamin passe la langue sur ses gencives.
Elles sont lisses, fermes et complètement
dépourvues de dents.

— Je n'ai pas une seule dent, dit Benjamin.

C'est au tour de Martin d'avoir l'air intrigué.

Les amis de Benjamin secouent tristement la tête.

— Dommage, disent-ils.

Benjamin se demande pourquoi. Il n'a jamais eu besoin de dents.

Martin enveloppe sa dent dans un morceau de tissu et la met dans son sac à dos.

— Il ne faut pas que je la perde, dit-il.

Tout le long du chemin, Benjamin se demande bien pourquoi Martin tient tant à garder sa vieille dent. Surtout s'il doit avoir bientôt une dent d'adulte toute neuve. Ça, c'est quelque chose!

— Pourquoi veux-tu garder ta dent? demande Benjamin. Tu vas en avoir une autre, et une grosse!

Tous ses amis le regardent, étonnés.

— Tu ne connais pas la fée des dents? demande Raffin.

Benjamin secoue la tête.

— Le soir, avant d'aller te coucher, tu caches ta dent sous ton oreiller. Puis, la fée des dents passe et emporte la dent, explique Raffin.

— Mais c'est du vol! s'exclame Benjamin. Qu'est-ce que la fée des dents peut bien faire avec toutes ces dents?

Un grand silence s'installe.

Martin se gratte la tête. Raffin remue la queue et Béatrice fait bouffer ses plumes.

— Je ne sais pas, dit Martin, mais elle nous laisse quelque chose.

— Une de ses propres dents? demande Benjamin.

Tout le monde éclate de rire.

— Oh! Benjamin! dit Raffin. La fée des dents laisse un cadeau.

Benjamin se demande bien quelle sorte de cadeau la fée des dents peut laisser.

— J'espère que j'aurai des sous, dit Martin.

— Quand j'ai perdu ma première dent, dit Mathieu, j'ai reçu un livre.

— Moi, j'ai eu des crayons de couleur, dit Raffin.

Benjamin se frotte les gencives. Il aimerait bien avoir une dent à laisser à la fée des dents. Il voudrait lui aussi avoir un cadeau.

Aussitôt qu'il arrive à l'école, Martin montre sa dent à monsieur Hibou.

Monsieur Hibou est très content.

— Quand on perd ses dents de lait, c'est qu'on grandit, dit-il.

Benjamin ne dit rien. Il n'a pas de dents, mais il veut grandir, lui aussi.

Benjamin est très tranquille tout le reste de la journée.

Même à la maison, Benjamin est plus tranquille que d'habitude.

— Qu'est-ce qui ne va pas? demande sa mère.

— Je n'ai pas de dents, répond-il.

— Nous n'en avons pas non plus, dit son père. C'est comme ça chez les tortues.

— Mais je veux des dents! dit Benjamin.

— Mes amis reçoivent des cadeaux de la fée des dents quand ils perdent leurs dents, dit Benjamin.

— Pourquoi ont-ils des cadeaux en échange d'une vieille dent? demande son père.

— Ça veut dire qu'ils grandissent, répond Benjamin.

— Je vois, dit son père.

Ce soir-là, avant d'aller au lit, Benjamin a une bonne idée. Peut-être que les fées des dents ne savent pas que les tortues n'ont pas de dents. Il trouve un petit caillou blanc et le cache sous son oreiller.

Il demande à sa mère de l'aider à écrire un message.

Chère fée des dents,

Ceci est une dent de tortue. Vous n'en avez sans doute jamais vue. S'il vous plaît, laissez-moi un cadeau.

Benjamin

Benjamin se réveille très tôt le lendemain matin. Il regarde sous sa carapace. Le caillou n'est plus là, et il y a un message à la place d'un cadeau.

Benjamin court à la chambre de ses parents.

– Qu'est-ce qui est écrit? demande-t-il.

Le père de Benjamin met ses lunettes.

Cher Benjamin,

Je regrette. Les tortues n'ont pas de dents. Dommage!

Ton amie, la fée des dents

Benjamin n'est pas du tout content. Mais tout à coup, il aperçoit un gros cadeau près de son bol.

— Ouvre-le, dit sa mère.

C'est un magnifique livre.

— De la part de qui? demande Benjamin.

— De la nôtre, répondent ses parents. Parce que tu grandis.

Benjamin se tient très droit.

— Merci, dit-il.

Depuis, Benjamin ne s'inquiète plus des différences entre Martin et lui. Il sait que, pour tout ce qui est important, Martin et lui sont tout à fait pareils.